D1029074

MATHIAS FRIMAN

D'UNE PETITE MOUCHE BLEUE

Les
fourmis
rouges

Il était une fois une mouche bleue,
une toute petite mouche avec des yeux globuleux.
Posé au pied d'un arbre, le minuscule insecte
venait de terminer son repas.

« C'est bon ça, dit la mouche en s'essuyant la bouche.
Allons voir plus loin, la Terre est ronde,
la Lune est blonde, je pars découvrir le monde. »

La mouche décolla rapidement loin de son repas resté là.
De bourdonnement en bourdonnement, elle croisa sur son chemin une grenouille.
Et si les mouches n'aiment pas les grenouilles, les grenouilles quant à elles
adorent les mouches.

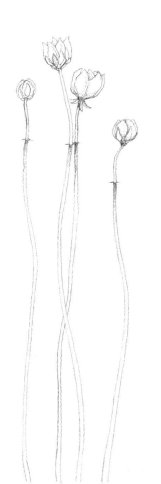

« Miam, miam, miam, miam...
C'est bon ça, dit la grenouille, allons sauter plus loin
voir si j'en croise d'autres sur mon chemin. »

La grenouille sauta loin du nénuphar où elle était postée.
De coassement en coassement, elle croisa
sur son chemin un serpent.
Et si les grenouilles n'aiment pas les serpents,
les serpents quant à eux adorent les grenouilles.

« Miam, miam, miam, miam...
C'est bon ça, dit le serpent, allons ramper plus loin
voir si j'en croise d'autres sur mon chemin. »

Le serpent ondula loin du tas de feuilles où il était caché.
Et de sifflement en sifflement, il croisa sur son chemin un corbeau.
Et si les serpents n'aiment pas les corbeaux,
les corbeaux quant à eux adorent les serpents.

« Miam, miam, miam, miam...
C'est bon ça, dit le corbeau, allons nous envoler plus loin
voir si j'en croise d'autres sur mon chemin. »

Le corbeau s'envola loin de l'arbre où il était perché.
De croassement en croassement, il attira un renard
affamé. Et si les corbeaux n'aiment pas les renards,
les renards quant à eux n'adorent pas que le fromage.

« Miam, miam, miam, miam...
C'est bon ça, dit le renard, allons nous promener plus loin
voir si j'en croise d'autres sur mon chemin. »

Mais le renard était vieux et la mort le rattrapa. Il succomba.
De jours en semaines, sa silhouette attira à lui une fourmilière.
Et si les renards n'aiment pas les fourmis, les fourmis
quant à elles adorent se régaler.

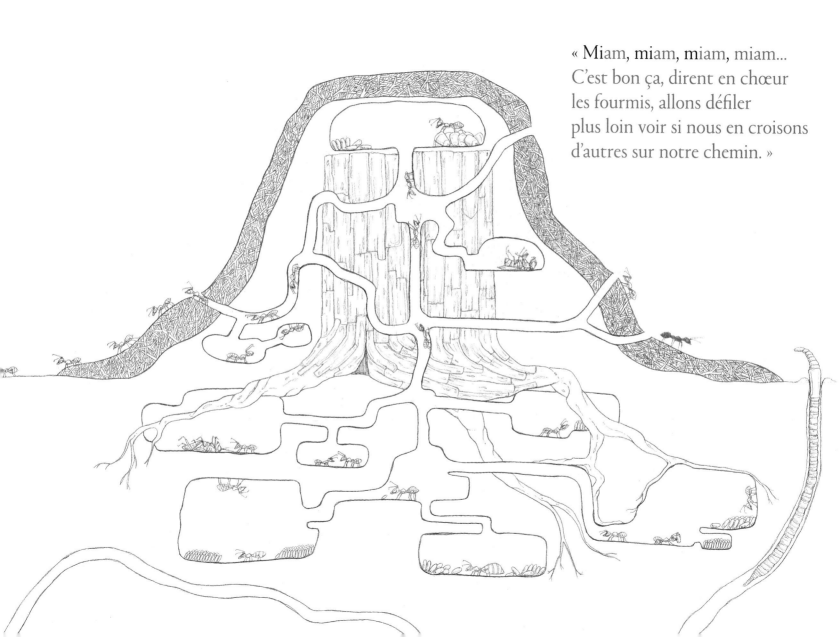

« Miam, miam, miam, miam...
C'est bon ça, dirent en chœur
les fourmis, allons défiler
plus loin voir si nous en croisons
d'autres sur notre chemin. »

Une fourmi se sauva loin de sa colonie et, de feuille
en feuille, croisa sur son chemin un moineau.
Et si les fourmis n'aiment pas les moineaux,
les moineaux quant à eux adorent les fourmis.

« Miam, miam, miam, miam...
C'est bon ça, dit le moineau,
allons voler plus loin voir si j'en croise
d'autres sur mon chemin. »

Le moineau s'aventura loin de son nid.
De zinzinulement en zinzinulement,
il croisa sur son chemin un grand méchant loup.
Et si les moineaux n'aiment pas les loups,
les loups quant à eux adorent les moineaux.

« Miam, miam, miam, miam...
C'est bon ça, dit le loup,
allons marcher plus loin voir
si j'en croise d'autres sur mon chemin. »

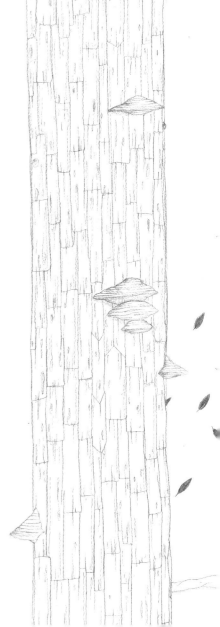

GRAND-MÈRE

PETITS COCHONS

Le loup partit en trottinant droit devant.
De hurlement en hurlement, il croisa sur son chemin
un chasseur et dans son piège tomba. Et si les loups n'aiment
pas les chasseurs, ce chasseur-là songea qu'il n'avait jamais
mangé de loup et qu'il faut goûter à tout.

« Miam, miam, miam, miam...
C'est bon ça, dit le chasseur, allons chasser plus loin
voir si j'en croise d'autres sur mon chemin. »

Le chasseur partit le fusil à la main.
De buisson en buisson et d'arbre en arbre,
il croisa sur son chemin un chêne.
Et si les chênes se moquent des chasseurs,
les chasseurs quant à eux aiment se cacher derrière.

« C'est bien, là, dit le chasseur,
inutile d'aller plus loin
je peux enfin faire mes besoins. »

Posé au pied de l'arbre, le petit caca du chasseur
attendait là lorsqu'une petite mouche
aux yeux globuleux croisa son chemin.

« Ça m'a l'air bon ça, dit la mouche.
Miam, miam, miam, miam... »